La

Adaptación didáctica y actividades por **M. Barberá Quiles**

Ilustraciones de **Fabio Sardo**

Redacción: Massimo Sottini
Diseño y dirección de arte: Nadia Maestri
Maquetación: Maura Santini
Búsqueda iconográfica: Laura Lagomarsino

© 2011 Cideb, Génova, Londres

Primera edición: enero de 2011

Créditos fotográficos:
Cideb Archivo; De Agostini Picture Library: 4, 56.

Reservados todos los derechos. El contenido de esta obra está protegido por la Ley, que establece penas de prisión y/o multas, además de las correspondientes indemnizaciones por daños y perjuicios, para quienes reprodujeren, plagiaren, distribuyeren o comunicaran públicamente, en todo o en parte, una obra literaria, artística o científica, o su transformación, interpretación o ejecución artística fijada en cualquier tipo de soporte o comunicada a través de cualquier medio, sin la preceptiva autorización.

Todos los sitios internet señalados han sido verificados en la fecha de publicación de este libro. El editor no se considera responsable de los posibles cambios que se hayan podido verificar. Se aconseja a los profesores que controlen los sitios antes de utilizarlos en clase.

Para cualquier sugerencia o información se puede contactar con la siguiente dirección:
info@blackcat-cideb.com
www.blackcat-cideb.com

The Publisher is certified by

in compliance with the UNI EN ISO 9001:2008 standards for the activities of «Design and production of educational materials» (certificate no. 02.565)

ISBN 978-88-530-1124-4 libro + CD

Impreso en Italia por Litoprint, Génova

Texto integralmente grabado.

Este símbolo indica las actividades de audición.

DELE Este símbolo indica las actividades de preparación al DELE.

La cornisa cantábrica.

Cantabria

Cantabria está situada en la Cornisa Cantábrica, en el norte de la península ibérica, entre el País Vasco, el Principado de Asturias, y la Comunidad de Castilla y León. Su capital es Santander, única provincia de la Comunidad Autónoma. Posee un clima oceánico húmedo y de temperaturas moderadas, fuertemente influenciado por los vientos del océano Atlántico, que chocan contra las montañas. La precipitación media es de 1.200 mm, lo que permite el crecimiento de una densa vegetación. Cantabria es una región montañosa y costera, y posee un importante patrimonio natural.

El interior montañoso

Es una larga barrera de montañas abruptas paralela al mar que compone parte de la Cordillera Cantábrica, la cual forma valles profundos en disposición norte-sur, con fuertes pendientes atravesadas por ríos de carácter torrencial, de gran poder erosivo y cortos por la poca distancia entre su nacimiento y su desembocadura.

Los Picos de Europa

Es el macizo más alto de la Cordillera Cantábrica. Cristalinos e impetuosos torrentes de gran riqueza piscícola, han excavado estrechísimas gargantas, recortando el macizo en tres bloques: el occidental, el central y el oriental. Junto a las altas cimas cubiertas de nieve, existen impresionantes desfiladeros. La vertiente sur más suave se abre a paisajes más desnudos y severos, todos ellos de gran belleza. Junto a las actividades tradicionales (ganadería, fabricación de quesos, pesca fluvial) el macizo cuenta con algunos recursos minerales.

Los picos de Europa.

La Liébana - región de Potes

Es una comarca que, al abrigo de los vientos del noroeste, goza de un clima privilegiado, siendo posible el cultivo de árboles frutales (avellanos, cerezos, nísperos) y, en las laderas, viñedos dispuestos en terrazas.

Campoo y los valles del sur

La otra comarca que se diferencia es Campoo, en el extremo sur de Cantabria. Con un clima más continentalizado, presenta un desarrollo óptimo de masas forestales de rebollo (*quercus pyrenaica*) y se encuentra en un periodo expansivo por el abandono de las tierras agrarias. Además, también existen grandes repoblaciones de coníferas (*pinus sylvestris*) en las suaves pendientes de la comarca.

Comprensión lectora

1 Marca con una ✗ la respuesta correcta.

		V	F
1	Cantabria está situada entre Asturias y Galicia.		X
2	Su capital es Santillana.		X
3	Es una región montañosa.	X	
4	El macizo más alto son los Picos de Europa.		X
5	En la Liébana se cultivan avellanos.		X
6	Campoo goza de un clima oceánico.		X
7	Sus ríos son torrenciales.		X
8	Cantabria fabrica quesos.		X

Personajes

A partir de la izquierda: **Vladimiro "el extranjero", Clara, el señor Otero, Enrique, la madre de Enrique, Camila, el doctor Alcañiz.**

Antes de leer

1 Estas palabras aparecen en el capítulo 1. Asocia cada palabra a su imagen correspondiente.

a	un bastón	d	un campo	g	frutas del bosque
b	una granja	e	una frambuesa	h	un arándano
c	una mora	f	un sillín	i	un invernadero

CAPÍTULO **1**

En el campo

Me llamo Enrique Alvarado. Tengo el cabello oscuro y los ojos verdes. Soy alto y más bien delgado.

Mi familia tiene una granja en Cantabria cerca de Santander, en Potes, una granja grande con muchos animales y campos alrededor. Cuando era pequeño, jugaba y me divertía con poco. Después, sin embargo, he empezado a aburrirme. Siempre solo, con mis padres y con los campesinos, sobre todo en verano, cuando no hay colegio.¿Qué hace un chico solo en el campo? Juega, da una vuelta, camina y corre, a veces coge la bicicleta. Y una vez, en la bicicleta fui a casa del señor Otero, que está a ochocientos metros de la mía, ¡la única en el vecindario! El señor Otero no tiene campos, ni animales, tiene un gran invernadero, donde cultiva frutas del bosque: arándanos, moras, frambuesas... están buenísimas: las mejores del mundo, dice.

El señor Otero es un tipo un poco peculiar. Mis padres dicen que

es un oso[1]. Compró la casa hace casi ocho años. Venía de Santander, donde trabajaba como ingeniero químico y era muy famoso. ¡Este Otero debía ser un verdadero genio en su trabajo!

Y así, un día, hace cinco años, fui a su casa. Me paré delante de su puerta y miré alrededor. No había nadie. Entonces bajé de la bicicleta y... de repente apareció como de la nada. ¡Tenía un bastón en la mano!

— ¿Qué haces aquí? — gritó.

— Lo siento... lo siento... yo... quería hablarle... soy...

— Sé quien eres, el hijo de los vecinos. ¡Márchate!

— Pero, yo...

Él levantó el bastón.

— ¡De acuerdo! ¡De acuerdo! — le dije.

Cogí la bicicleta y cuando ya estaba sobre el sillín me preguntó:

— ¿De qué diablos quieres hablarme?

— De... sus inventos. Sé que usted es un inventor, y yo soy un apasionado de la química, yo... también hago experimentos...

— ¿Te estás burlando de mí, muchacho?

— En absoluto. Es verdad. Siempre he sentido pasión por la química, pero a los chicos de mi clase no les interesan esas cosas, mis padres no me toman en serio, entonces pensé que aquí con usted...

— ¡Ah! — exclamó. — ¿Dices que eres un apasionado de la química? Entonces sabrás responder a un par de simples preguntas. Dime, ¿cuál es la fórmula del agua?

— Naturalmente le contesté enseguida. Entonces me hizo otras preguntas más difíciles; en fin, una especie de test. Y al final... ¡aprobé!, y el señor Otero bajó el bastón.

1. **un oso**: aquí, persona a la que no le gusta estar con los demás.

— Entra en casa — me dijo.

Allí continuamos hablando, me mostró su laboratorio en el sótano de la casa y, entonces, nos hicimos amigos. ¡Cuántas tardes he pasado con él en el laboratorio haciendo experimentos! He comprendido que el señor Otero es verdaderamente un genio de la química.

El año pasado, a final de curso, decidí matricularme en la universidad de Santander, a unos cien kilómetros de mi pueblo.

— Si quieres ir a Santander, por nosotros no hay problema — me dijeron mis padres —. Es una universidad muy buena.

Me han alquilado una habitación y la mayor parte del año vivo y estudio en Santander.

Y así ha cambiado mi vida: de la tranquilidad del campo al caos de la ciudad, de mamá y papá a la vida en solitario.

Me he acostumbrado enseguida a la vida en la ciudad, que, además, me gusta mucho. Pero también estoy contento cuando puedo volver a casa, en el campo, con mi familia y con... el señor Otero. Nunca he perdido el contacto con él. Siempre nos hemos escrito e—mails.

El último era una especie de sms. Típico...

"Te espero el sábado a las cinco en mi casa. Tengo que mostrarte una cosa. Importante. Hasta pronto."

El sábado siguiente, en efecto, estoy en casa para el puente de Todos los Santos. Estoy con mis padres, y sus preguntas son las de siempre:

— ¿Estás bien? ¿Cómo va la universidad?

Pero yo estoy impaciente, no veo la hora de encontrarme con mi amigo...

Comprensión escrita y oral

1 Vuelve a leer el capítulo y elige la respuesta correcta.

1 Hasta hace un año Enrique ha vivido en
- a ☒ el campo.
- b ☐ la ciudad.
- c ☐ la montaña.

2 Cuando era pequeño
- a ☒ le gustaba el sitio donde vivía.
- b ☐ no le gustaba el sitio donde vivía.
- c ☐ se aburría mucho en el sitio donde vivía.

3 De pequeño sus ocupaciones preferidas eran
- a ☒ ir en bicicleta y jugar.
- b ☐ pasear en el bosque y nadar en el arroyo.
- c ☐ encontrarse con los chicos de las granjas vecinas.

4 El señor Otero vive
- a ☐ muy cerca de la familia de Enrique.
- b ☐ bastante cerca de la familia de Enrique.
- c ☒ más bien lejos de la familia de Enrique.

5 El señor Otero tiene
- a ☐ una granja.
- b ☐ caballos.
- c ☒ un invernadero.

6 Una vez fue a casa del señor Otero
- a ☐ a pie.
- b ☒ en bicicleta.
- c ☐ en coche con los padres.

2 **Vuelve a leer el capítulo y contesta a las preguntas siguientes.**

1 ¿Quién es el señor Otero?
2 ¿Por qué Enrique quiere conocerle?
3 ¿Qué hacían Enrique y el señor Otero juntos?
4 ¿A qué universidad ha ido a estudiar Enrique?
5 ¿Cómo se comunica Enrique con el señor Otero?
6 ¿Cuándo tiene que verle de nuevo?

Expresión oral

3 **Describe a estas tres personas respondiendo a las preguntas.**

¿Es alto(a), bajo(a) o de estatura media?
¿Es delgado(a), robusto(a) o de complexión media?
¿De qué color tiene el cabello?

1

2

3

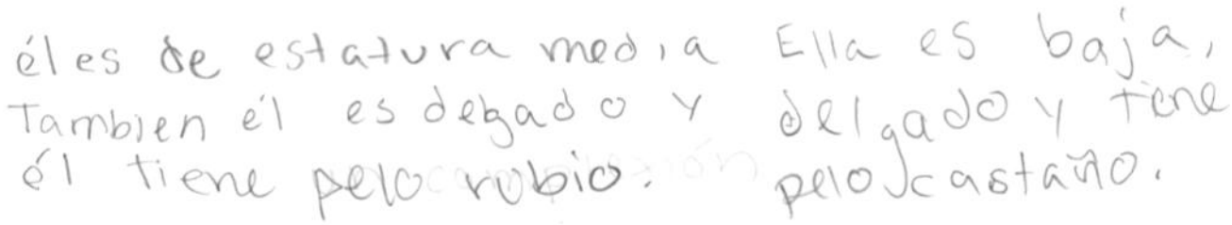

4 **Completa el cuadro siguiente con las informaciones acerca de Enrique.**

años	
cabellos	
ojos	
estatura	
complexión	

Gramática

Los adjetivos calificativos

Los adjetivos calificativos acompañan al nombre y dan informaciones sobre sus características. Concuerdan en género (masculino o femenino) y número (singular o plural) con el nombre al que califican.

Tengo el cabello ***oscuro*** *y los ojos* ***verdes****. Soy* ***alto*** *y más bien* ***delgado****. Me ha hecho otras preguntas más* ***difíciles****. Es una universidad muy* ***buena****.*

Los adjetivos calificativos del 1er grupo terminan en **-o** en masculino singular y en **-os** en masculino plural, en **-a** en femenino singular y en **-as** en femenino plural.

Masculino		**Femenino**	
Singular	Plural	Singular	Plural
Un niño pequeño	Unos niños pequeños	Una niña pequeña	Unas niñas pequeñas

5 **Completa las frases con la terminación correcta.**

1 Los muebles del salón son antigu...... .
2 El profesor corrige los exámenes con la plum...... roj...... .
3 La llave de la habitación es pequeñ...... .
4 El señor Villa es un enseñante alt...... y delgad...... .
5 Estas frutas están madur...... y buen....... .

6 **Completa con la terminación correcta.**

1

Soy una chic.... guap.... pero también muy tímid.... Busco amig.... simpátic.... y comprensiv....

2

Soy una chic.... aleman.... y aquí no conozco a nadie. Busco amigos santaderin....

3

Somos dos chicos italian.... y queremos conocer chicas aleman....

4

BUSCAMOS UN APARTAMENTO PEQUEÑ.... EN UN BARRIO MODERN....
¡ESCRIBID!

Producción escrita y oral

7 **Descríbete a ti mismo(a) completando la ficha.**

estatura: 1 metro y ....

peso: .... kg.

color de ojos: ....

color del cabello: ....

8 **Ahora descríbete oralmente. Sigue la pista.**

Mido 1 metro y .... Peso .... kg. Tengo los ojos .... y el cabello ....

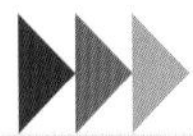

PROYECTO **INTERNET**

Cuevas de Altamira – Cantabria

Sigue estas instrucciones para conectarte con el sitio correcto. Entra en Internet y ve al sitio www.blackcat-cideb.com. Escribe el título o parte del título del libro en nuestro buscador. Abre la página de *La fórmula secreta*. Pulsa en el icono del proyecto.

Busca en la página hasta llegar al título de este libro y conéctate con los sitios que te proponemos.

Cantabria joven-Cuevas-Altamira y a continuación ve a Cuevas prehistóricas.

Contesta a las preguntas siguientes:

1 ¿Quién descubrió la Cueva de Altamira?
2 ¿Cuándo?
3 ¿Dónde se encuentra?
4 ¿Qué hay representado en su techo?
5 ¿De cuándo data esta representación?
6 ¿Con qué está realizada la pintura?
7 ¿De qué colores?

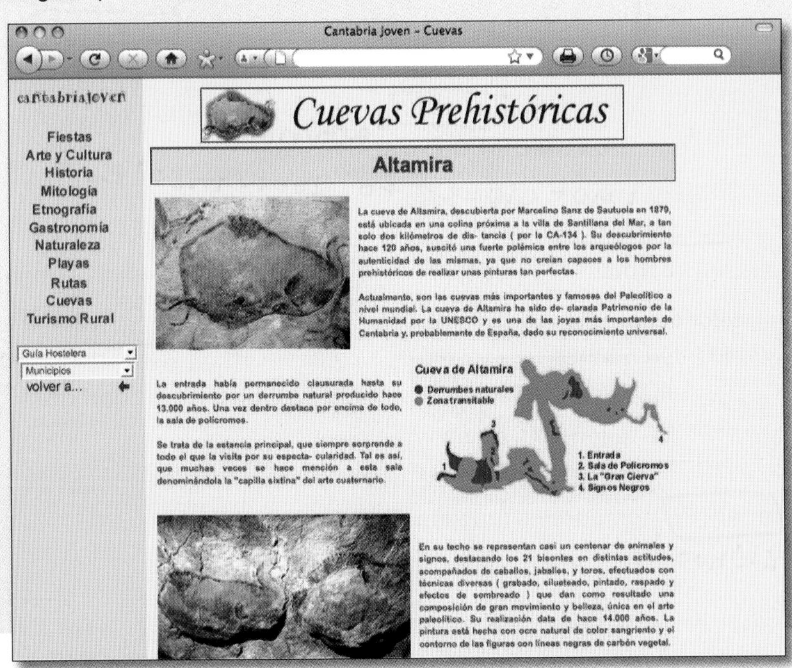

CAPÍTULO **2**

¿Dónde está el señor Otero?

Estoy delante de la casa del señor Otero. Toco el timbre. Espero. Nadie viene a abrir. Vuelvo a tocar. Pero inútilmente. No viene nadie. Marco su número en el teléfono móvil. ¡Está apagado! Doy vueltas alrededor de la casa y le llamo:

— Señor Otero, señor Otero...

¡Nada!

Me aproximo e intento mirar dentro... pero todas las ventanas tienen cortinas [1], y es imposible mirar dentro de la casa. ¿Dónde puede estar? Es un hombre tan puntual y preciso... ¡Qué extraño! ¿Qué puedo hacer?

Regreso a casa. Mi madre está a la puerta. Sonríe contenta.

— ¡Mira quién está aquí! — me dice.

Miro. ¡Oh no! Camila está aquí... Camila es una amiga de la infancia: su madre es muy amiga de la mía.

1. **cortina**: tela que cubre una ventana.

— Hola, Enrique — me saluda.

— Hola, Camila. ¿Qué te trae por aquí?

— Paso unos días con vosotros. Mis padres se han marchado de vacaciones, no quería ir con ellos y...

— ¡Caramba! ¡Qué mala... es decir... ¡Qué buena suerte!

— Pero, Enrique, ¡no puedes ser tan maleducado! — me reprocha mi madre — ¿No estás contento?

— Muy contento — le digo... mintiendo.

— Entro en casa y me voy directamente a mi habitación.

¡Camila! Siempre la he odiado. Camila la guapa, la educada, la primera de la clase, la perfecta... mi madre la adora. Todos la adoran, menos yo.

Marco de nuevo el teléfono móvil del señor Otero, pero el móvil continúa apagado. Sigo intentando durante toda la tarde. Pero, ¿dónde puede estar? Estoy preocupado, cada vez más preocupado.

Al día siguiente me levanto a las siete y media. "A esta hora del domingo todos están durmiendo", pienso. Paso sin hacer ruido por el comedor, y no hay nadie. Estoy en la puerta cuando oigo una voz:

— ¡Eh, Enrique! ¿Adónde vas?

Camila... ¿Ya está despierta? ¡Oh no!

— ¿Qué haces aquí? — le pregunto.

— Nada, me despierto siempre temprano. Y tú, ¿adónde vas?

— No es asunto tuyo.

Salgo, pero ella me sigue.

— Voy contigo — dice.

— No, no puedes.

Estoy enojado. Camino, pero ella me sigue.

Sin que lo quiera, nos encontramos delante de la casa del señor Otero. Toco el timbre. Pero, como ayer, nadie viene a abrir. Toco de nuevo, le llamo... pero nada, el señor Otero no está.

— ¿A quién buscas? — pregunta Camila.

— A la persona que vive aquí.

— Eso ya lo he entendido, pero... ¿Quién es?

— Es un amigo mío. Tenía una cita con él ayer.

— ¿Le has telefoneado?

— Sí, pero el móvil está apagado.

— ¿Estás preocupado?

— Si, ahora estoy verdaderamente preocupado. Quizá le ha sucedido algo. Voy a la policía.

— Voy contigo.

— No, ¡regresa a casa, por favor! Si mis padres se despiertan y no nos encuentran en casa se van a preocupar.

— Vale, pero... ¿Qué les digo?

— No sé. ¡Invéntate algo!

— ¿Por qué no puedo decir la verdad?

— Mis padres saben que visito al señor Otero, pero no les gusta. En el pasado tuvieron diferencias acerca de un terreno y... pero, por favor, ¡ve ahora!

— De acuerdo, voy. Nos vemos en casa.

Voy a la comisaría del pueblo. Hay un policía en la entrada, es un amigo de mi padre. Me saluda y enseguida me pregunta:

— Hola Enrique ¿Ha pasado algo?

— No, es decir, sí. Tengo que hacer una denuncia [2] por la desaparición [3] de una persona. El señor Otero ha desaparecido.

— ¿El señor Otero? ¿Ese tipo tan raro que tiene un invernadero?

— Sí, precisamente él.

Le cuento todo. Él escucha, serio. Al final me dice:

2. **denuncia**: noticia que se da a la autoridad de haberse cometido algún delito.
3. **desaparición**: cuando dejan de existir personas o cosas.

— Para una denuncia es necesario esperar al menos veinticuatro horas desde la desaparición de la persona, ¿lo sabes?

— No, no lo sabía.

— Mira, te doy un consejo. Espera hasta mañana por la mañana. Si todavía no ha aparecido, entonces puedes poner la denuncia y empezamos las investigaciones.

— Pero, ¡puede estar en peligro!

— Enrique te comprendo, pero así es la ley[4].

— De acuerdo — digo al salir de la comisaría.

¿Y ahora qué hago? ¿Espero hasta mañana? Mañana puede ser demasiado tarde. Suena el móvil. Es Camila. Le cuento lo que me ha dicho el policía.

— ¡Caramba! — exclama. — Y ahora... ¿vuelves a casa?

— No, voy a casa de Otero.

— Vale, yo también voy.

— No, ¡espera Camila! ¿Qué le has dicho a mi madre?

— Le he dicho que has salido a entrenarte para un maratón[5].

— ¿Y te ha creído?

— Siempre creen lo que les digo. De todos modos, ahora ha salido con tu padre.

— Escucha Camila, no vengas a casa de Otero, quédate en casa y espera que...

Pero estoy hablando solo. Camila ha apagado el móvil.

Apuesto a que dentro de cinco minutos la encuentro en casa de Otero.

4. **la ley**: conjunto de reglas de un Estado.
5. **maratón**: carrera urbana de una distancia de 42,195km.

Comprensión escrita y oral

1 Vuelve a leer el capítulo e indica si las siguientes afirmaciones son verdaderas (V) o falsas (F).

		V	F
1	Enrique se sorprende al no encontrar al señor Otero en casa.	☐	☐
2	El señor Otero no contesta al teléfono móvil.	☐	☐
3	La madre de Enrique le espera en casa con Camila.	☐	☐
4	Enrique está muy contento de ver a Camila.	☐	☐
5	A la mañana siguiente Enrique se despierta tarde.	☐	☐
6	Enrique sale de casa a escondidas.	☐	☐
7	Camila lo ve y se va con él.	☐	☐
8	La madre de Enrique se despierta y le pregunta adónde va.	☐	☐
9	Enrique está preocupado porque no localiza al señor Otero.	☐	☐
10	Enrique decide ir a la comisaría.	☐	☐

2 Vuelve a leer el capítulo y elige la respuesta correcta.

1 A los padres de Enrique no les gusta que visite al señor Otero porque
- a ☐ hace tiempo han discutido con él.
- b ☐ encuentran al señor Otero un tipo poco fiable.
- c ☐ no conocen en absoluto al señor Otero.

2 Camila regresa a casa para
- a ☐ encontrarse con su madre.
- b ☐ estudiar.
- c ☐ responder a las preguntas de la madre de Enrique.

3 El policía le dice a Enrique que no puede aceptar la denuncia porque
- a ☐ ha venido sin sus padres.
- b ☐ ha pasado muy poco tiempo desde el momento de la desaparición.
- c ☐ ha pasado demasiado tiempo desde el momento de la desaparición.

4 Enrique se dirige de nuevo a casa del señor Otero. Camila quiere
   a ☐ telefonearle.
   b ☐ decirle a la madre de Enrique que él está allí.
   c ☐ reunirse con él.

Competencias lingüísticas

3 Indica la definición correspondiente a cada palabra.

1 *Adorar* significa
   a ☐ amar mucho.
   b ☐ no amar en absoluto.

2 *Estar de vacaciones* significa
   a ☐ no tener trabajo.
   b ☐ estar descansando.

3 *La comisaría* es
   a ☐ donde trabaja el alcade.
   b ☐ donde trabaja el comisario de policía.

4 *Odiar a alguien* significa
   a ☐ detestar a alguien.
   b ☐ apreciar a alguien.

5 *Estar preocupado* significa estar
   a ☐ encolerizado.
   b ☐ intranquilo.

6 Un sinónimo de *empezar* es
   a ☐ encender.
   b ☐ comenzar.

7 *Enseguida* significa
   a ☐ justo después.
   b ☐ más tarde.

8 *Este trabajo ha sido un maratón* significa
   a ☐ que el trabajo ha sido muy largo.
   b ☐ que el trabajo ha salido muy mal.

4 **Asocia cada adjetivo a su contrario.**

1	preocupado	a ☐	último
2	serio	b ☐	tranquilo
3	primero	c ☐	informal
4	extraño	d ☐	amable
5	puntual	e ☐	normal
6	maleducado	f ☐	ameno

Gramática

El presente del indicativo de los verbos regulares

Los verbos regulares se dividen en tres grupos o conjugaciones

	I conjugación	**II conjugación**	**III conjugación**
	Mir-**ar**	Com-**er**	Sub-**ir**
yo	miro	como	subo
tú	miras	comes	subes
él/ella	mira	come	sube
nosotros	miramos	comemos	subimos
vosotros	miráis	coméis	subís
ellos/as	miran	comen	suben

El presente del indicativo expresa la acción que tiene lugar en el momento actual.
Mi madre ***abre*** *la puerta.*
A los chicos de mi clase no les ***interesan*** *esas cosas.*

5 **Conjuga los verbos entre paréntesis en presente de indicativo.**

1 Nosotros (*vivir*) .... en Potes.
2 Enrique (*estudiar*) .... en Santander.
3 El señor Otero (*cultivar*) .... las frutas del bosque.
4 Vosotros siempre (*coger*) .... el autobús.
5 Martina (*escribir*) .... su nombre en un cuaderno.
6 Yo (*esperar*) .... el autobús desde hace un cuarto de hora.

6 **Elige la respuesta correcta.**

1 Hablamos un poco el alemán pero no lo
a ☐ entendéis.
b ☐ entendemos.
c ☐ entiendo.

2 Nosotros no
a ☐ compramos
b ☐ compro
c ☐ compran
el regalo.

3 Nosotros
a ☐ leen
b ☐ leemos
c ☐ lee
un libro.

4 Ahora yo
a ☐ bebe
b ☐ bebéis
c ☐ bebo
un café.

5 Martina
a ☐ limpiáis
b ☐ limpian
c ☐ limpia
el apartamento.

6 Vosotros
a ☐ enviáis
b ☐ envío
c ☐ envían
un paquete.

Producción escrita y oral

DELE **7** **En una carta que escribes a un(a) amigo(a) describes tu casa. Di**

a Si se trata de una casa o de un apartamento.
b Cuantás habitaciones tiene.
c Si tiene un jardín o una terraza.

Entre 80-100 palabras, 8-10 líneas.

8 **Explica a un amigo donde te gustaría vivir, y porqué.**

Antes de leer

1 **Estas palabras pertenecen al campo semántico de la casa. Asocia cada palabra a su imagen correspondiente.**

a	Un cajón	e	Una cocina	i	Una ventana
b	Un frigorífico	f	Una puerta	j	El primer piso
c	Un escritorio	g	Una silla	k	Un estudio
d	Una mesa	h	Una cortina	l	Un tejado

CAPÍTULO **3**

En casa del señor Otero

Estamos otra vez delante de la casa del señor Otero.

— Tenemos que entrar.

— Sí, pero ¿cómo? — pregunta Camila.

— Vamos a dar la vuelta a la casa y después miramos.

— ¡Las ventanas están todas cerradas. Sólo aquella está abierta!

Me indica una ventana en el primer piso, justo debajo del tejado.

— Sí, pero está muy arriba. ¿Quién llega hasta allí?

— ¡Yo! — exclama Camila.

Ni tan siquiera me da tiempo a decir una palabra. Ágil como un gato trepa hasta la ventana. La abre y entra.

— Ven a la puerta de abajo, te abro — me dice.

Voy a la puerta, y Camila ya está allí. No solo es ágil, sino también veloz. ¡Empiezo a tener una opinión diferente de ella! En la casa hay un gran silencio y también un gran... ¡desorden! Los cajones están abiertos: trajes y objetos por el suelo, las sillas volcadas.

En casa del señor Otero

— Alguien ha estado aquí.

— Ya — añade Camila —. Y probablemente se ha llevado también a tu señor Otero.

Miramos en todas las habitaciones. Por todas partes hay desorden y caos. Regresamos al despacho.

— El ordenador no está. Y tampoco los cuadernos de apuntes que estaban en el escritorio.

— Pero en tu opinión, ¿qué buscaban?

— No lo sé con seguridad. El señor Otero me ha escrito que "tenía algo que mostrarme". Quizá un invento nuevo.

— ¿Es un inventor?

— Algo así. En el campo de la química.

— Bueno, esto explica muchas cosas. Quizá ha inventado un producto extraordinario y lo han raptado [1] para obtener la fórmula.

— Sí, puede ser una explicación.

— Tengo sed — dice Camila —. Aquí dentro hace mucho calor.

— Ya... todo está cerrado. En la nevera hay seguramente algo fresco.

Vamos a la cocina. Cojo una botella de agua mineral y lleno dos vasos. Mientras bebe, Camila hojea un cuaderno.

— ¿Qué es?

— Lo he encontrado aquí, sobre la mesa. Es un cuaderno de recetas [2]. ¡Mira! Está escrito a mano. Pero... ¡qué extraño!

— ¿Qué?

— En las primeras páginas hay recetas, pero después... hay otros apuntes, apuntes incomprensibles [3].

1. **raptar**: secuestrar a una persona en contra de su voluntad.
2. **cuaderno de recetas**: cuaderno en el que se escribe como preparar un plato.
3. **incomprensible**: que no se puede comprender.

Me acerco a Camila y miro el cuaderno. ¡Tiene razón!

— ¡Quizá se trata de una de las extravagancias de Otero que...

— ¡No, espera! — me interrumpe — ¿Sabes una cosa? Los apuntes están escritos al revés. Como hacía Leonardo da Vinci.

— ¿Leonardo da Vinci?

— Sí, Leonardo da Vinci escribía así. De derecha a izquierda. Casi nadie podía entenderlo.

— Así que, si ha escrito de derecha a izquierda estas páginas, significa que quería mantenerlas en secreto[4] y que...

— ...aquí hay escrito algo muy interesante.

Cojo el cuaderno y leo las letras de derecha a izquierda.

— ¿Sabes lo que te digo? Me parecen fórmulas.

— ¿Fórmulas de química? ¿Crees que vas a entender las fórmulas escritas en el cuaderno? — me pregunta.

— Bueno, no soy un genio como el señor Otero, pero algo de química entiendo — le contesto.

Camila se da la vuelta de repente.

— ¿Qué pasa? — le pregunto asustado.

— Nada he oído un ruido... parecía... alguien...

Miro alrededor, pero no veo a nadie.

— Estamos tensos y nerviosos. Vamos a casa.

— Es mejor.

4. **secreto**: lo que no puede revelarse.

Comprensión escrita y oral

1 Vuelve a leer el capítulo y elige la respuesta correcta.

1 El señor Otero es un inventor en el campo de la
- a ☑ química.
- b ☐ física.
- c ☐ tecnología.

2 Al señor Otero le han
- a ☑ raptado.
- b ☐ matado.
- c ☐ detenido.

3 Camila descubre un cuaderno que contiene recetas y
- a ☑ escritos misteriosos.
- b ☐ poesías.
- c ☐ frases en ruso.

4 Las palabras del cuaderno están escritas
- a ☐ de izquierda a derecha.
- b ☑ de derecha a izquierda.
- c ☐ de abajo hacia arriba.

5 En opinión de Camila también escribía de ese modo
- a ☐ Américo Vespucci.
- b ☑ Leonardo da Vinci.
- c ☐ Rafael Sanzio.

6 Cuando Enrique y Camila salen
- a ☐ ven a un hombre escondido en el jardín.
- b ☑ oyen un ruido sospechoso.
- c ☐ oyen a una persona que grita.

7 Camila es
- a ☑ ágil como un gato.
- b ☐ ágil como un guepardo.
- c ☐ ágil como un ninja.

2 Vuelve a leer el capítulo y contesta a las preguntas.

1 ¿Cómo consiguen entrar en casa del señor Otero los dos jóvenes?
2 ¿Quién es ágil como un gato?
3 ¿Qué hacen los dos cuando están en la casa?
4 ¿En qué estado se encuentra la casa del señor Otero? ¿Por qué?
5 En opinión de Enrique, ¿qué le quería mostrar el señor Otero?
6 ¿Por qué van a la cocina?

Gramática

Los verbos reflexivos

El verbo se llama reflexivo cuando la acción recae sobre el mismo sujeto. El pronombre reflexivo se sitúa siempre delante del verbo.

	Lavarse	**Moverse**	**Dirigirse**
yo	me lavo	me muevo	me dirijo
tú	te lavas	te mueves	te diriges
él/ella	se lava	se mueve	se dirige
nosotros	nos lavamos	nos movemos	nos dirigimos
vosotros	os laváis	os movéis	os dirigís
ellos/ellas	se lavan	se mueven	se dirigen

En los verbos reflexivos el pronombre *SE* se añade al infinitivo y se llama *pronombre enclítico*. Se une al infinitivo para formar una sola palabra: *lavar**se***, *vestir**se***, *peinar**se***

3 Conjuga los verbos entre paréntesis en presente del indicativo.

1 Yo (*ducharse*) .... todas las mañanas.
2 Mi madre (*llamarse*) .... María.
3 Tú (*cortarse*) .... el pelo esta tarde.
4 El jefe (*enfadarse*) .... continuamente.
5 ¿Dónde (*encontrarse*) .... tu país?
6 Mis abuelos (*encontrarse*) .... bien.

4 **Conjuga los verbos que están entre paréntesis en presente del indicativo.**

Hola Eugenia:
¿Cómo estás? ¿Tu madre (**1**) (*encontrarse*) .... mejor? Sé que ha estado enferma. ¿(**2**) (*aburrirse*) .... en el campo?
Yo aquí (**3**) (*encontrarse*) .... estupendamente y (**4**) (*divertirse*) .... mucho. Mi familia y yo (**5**) (*levantarse*) .... tarde y (**6**) (*acostarse*) .... tarde. Mi hermano no (**7**) (*distraerse*) .... porque no hay chicos de su edad.
Hasta pronto,
Susana

Léxico

5 **Escribe sobre el plano el nombre de las habitaciones de la casa.**

El vestíbulo   La cocina   El baño   El despacho   La salita de estar   El dormitorio   El pasillo   El salón

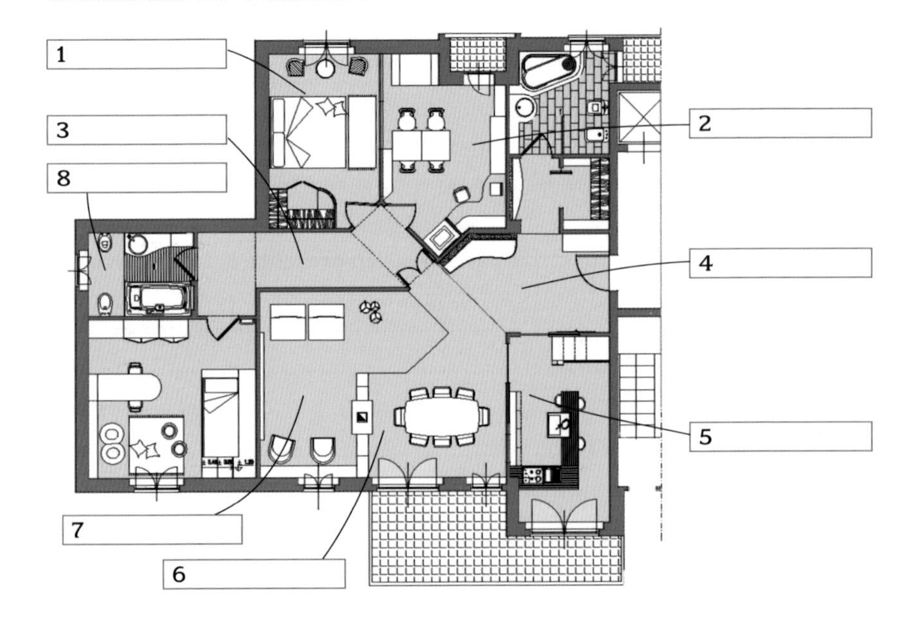

6 **Asocia cada parte de la casa a la definición adecuada.**

1	Techo	a	☐	sirve para entrar en casa
2	Bodega	b	☐	recubre la casa de lo alto
3	Sótano	c	☐	normalmente se pone allí el vino
4	Ventana	d	☐	allí se ponen las plantas y las flores
5	Puerta	e	☐	sirve para mirar al exterior
6	Balcón	f	☐	local situado bajo la casa

7 **Asocia cada verbo al sustantivo adecuado.**

1	abrir	a	☐	un producto
2	inventar	b	☐	un plato
3	secuestrar	c	☐	un secreto
4	cocinar	d	☐	la puerta
5	hablar	e	☐	una persona
6	guardar	f	☐	una lengua

Producción escrita y oral

8 **Piensa en una receta típica de tu región. Escribe los ingredientes y las etapas de la preparación en un e-mail que envías a un(a) amigo(a).**

9 **Habla de un personaje famoso (aquí se menciona a Leonardo da Vinci). Puede ser un personaje del pasado o del presente.**

Antes de leer

1 **Estas palabras se usan en el capítulo 4. Asocia cada palabra a la imagen correspondiente.**

a La piel
b Un árbol
c La cara
d Un arbusto
e Una crema
f Una rama

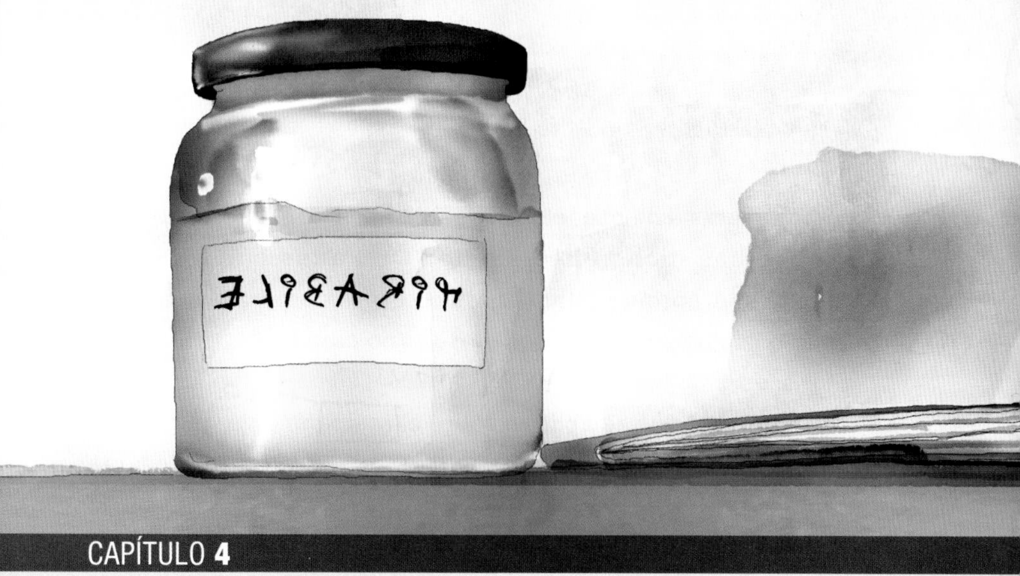

CAPÍTULO **4**

¡Prodigioso!

Estamos en mi casa. Mi familia, afortunadamente, todavía no ha regresado.

Camila y yo nos dirigimos directamente a mi habitación y nos sentamos ante el escritorio. Atentos y concentrados, leemos las palabras del cuaderno. O mejor: Camila lee y me dicta palabra por palabra.

¡Es verdaderamente hábil! Yo también intento leer, pero empleo varios minutos para cada palabra. Sin embargo, ella es veloz y precisa. Letra tras letra, palabra tras palabra, reconstruimos lo que está escrito en el cuaderno. Después, volvemos a leer nuestras "traducciones": hay una serie de ingredientes [1], fórmulas o procedimientos [2]; en varias partes se habla de un "producto".

— Aparece continuamente la palabra "frutas del bosque".

1. **ingredientes**: sustancias que componen una receta o formula.
2. **procedimiento**: modo de hacer algo.

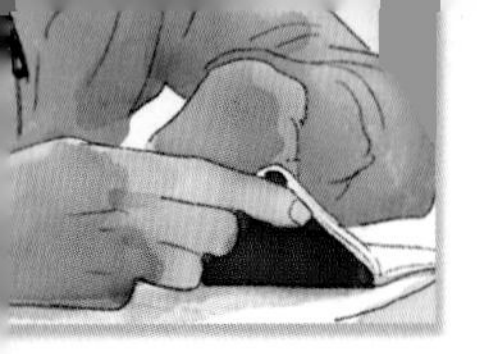

— Las frutas del bosque deben ser la base de este producto.

— ¡Me has dicho que el señor Otero las cultiva en su invernadero... entonces, tal vez las ha utilizado para preparar su producto... lo ha llamado "Prodigioso", ¿no es así?

— Así es.

— Aquí pone que se aplica [3] sobre el rostro una vez al día, por la mañana o por la noche... ¿Quizá se trata de una crema cosmética?

— Bueno, no debe tratarse de una simple crema cosmética. "Prodigioso" sugiere algo increíble...

— Sí, tienes razón. Debe ser una crema extraordinaria que quizá rejuvenece la piel...

— Si es así, ahora sabemos porque lo han secuestrado. ¡Quieren la crema prodigiosa!

— ¿Continuamos leyendo? Todavía quedan páginas...

— No, no es necesario. Pero, ¿sabes que eres muy inteligente?

— ¿Inteligente?

— Sí, inteligente. Has comprendido que el cuaderno no era un cuaderno de recetas, lees al revés a gran velocidad...

— Pero nunca te he gustado.

— Sí, es cierto. No porque eres inteligente, sino porque eres demasiado... perfecta y... pero ahora no es el momento de hablar de estas cosas. Quiero ir enseguida a la comisaría y contar lo que he descubierto.

— ¿No quieres hablar del asunto con tu familia?

— No, prefiero actuar solo.

— Entonces, ¡vamos!

— ¡No! Tú quédate aquí por favor. Si llega mi madre y de nuevo

3. **aplicar**: poner una cosa en contacto con otra.

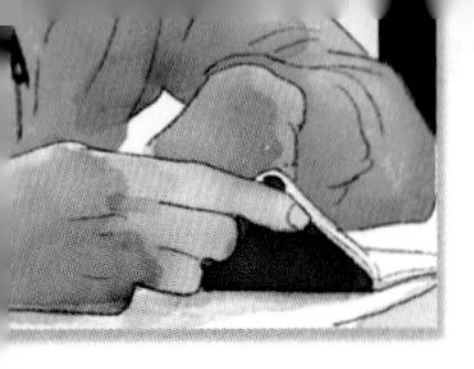

no nos encuentra, se preocupa. Comenzará a telefonearme, a hacer preguntas...

— Tienes razón, entonces me quedo.

— Hasta luego, Camila.

Me marcho casi corriendo. Pienso en el señor Otero. Quizá está prisionero en algún lugar, pero tal vez le ha sucedido algo peor... ¡Oh!... ¡espero que no!

Me dirijo hacia el pueblo. Como de costumbre no hay coches. Camino deprisa. La carretera pasa por los campos, y después bordea un bosque. De repente sucede algo. Un coche llega a gran velocidad. Se para delante de mí. Dos hombres bajan de él. Yo me quedo algunos segundos inmóvil, pero después echo a correr hacia el bosque, que se encuentra a la derecha. Soy alto y tengo las piernas largas... voy rápido. Corro entre los árboles y los matorrales. "A lo mejor consigo dispersarlos", me digo. Pero de repente tropiezo con una rama y me caigo. Me levanto, pero es demasiado tarde, los dos hombres se abalanzan sobre mí. Uno tiene una pistola. Me apunta con ella.

— Ahora vienes con nosotros — me dice.

Yo le obedezco.

— ¿Qué queréis? — pregunto.

— Estate callado — me dice el de la pistola.

Me quedo callado y le sigo hasta el coche. Uno se sienta delante, en el puesto del conductor, y yo me siento detrás con el otro, que continúa apuntándome con la pistola. El coche se pone en marcha. Pregunto otra vez:

— ¿Qué queréis?

Y el de la pistola vuelve a repetir:

— Estate callado.

Tengo mucho miedo. ¿Qué va a sucederme ahora?

Comprensión escrita y oral

1 Vuelve a leer el capítulo y elige la respuesta correcta.

1 En opinión de Camila alguien ha secuestrado al señor Otero porque quería
- a ☐ la formula de su producto.
- b ☐ vengarse.
- c ☐ su dinero.

2 Enrique reconoce que Camila es verdaderamente hábil porque
- a ☐ es muy amable con él y con su familia.
- b ☐ ha sido veloz e intuitiva.
- c ☐ ha hecho todo lo que él le ha pedido.

3 Enrique piensa que Camila
- a ☐ le gusta mucho.
- b ☐ es demasiado inteligente.
- c ☐ es demasiado “perfecta”.

4 Enrique decide ir
- a ☐ a casa de sus padres.
- b ☐ a la comisaría.
- c ☐ de nuevo a casa del señor Otero.

2 Vuelve a leer el capítulo y ordena los eventos en el orden cronológico correcto.

- a ☐ Enrique sube al coche y se va con los secuestradores.
- b ☐ Mientras camina por el bosque un coche se para de repente.
- c ☐ Enrique se escapa, pero tropieza y los hombres lo capturan.
- d ☐ Enrique está regresando al pueblo.
- e ☐ Dos hombres descienden del coche y él comienza a correr.
- f ☐ Enrique sigue a los hombres hasta el coche.

3 Vuelve a leer el capítulo y completa las frases.

1 Enrique y Camila se encuentran en ....
2 Sentados ante el escritorio leen ....
3 Camila dicta ....
4 De este modo reconstruyen los escritos. Se trata de ....
5 La palabra .... aparece constantemente.
6 Los dos jóvenes llegan a la conclusión de que el señor Otero las ha utilizado como base de su .... que ha llamado ....

Léxico

4 Elige los verbos que indican movimiento y completa las frases.

correr saltar estar permanecer pararse dispersar caminar marchar

Ej. Los delincuentes nos siguen y nosotros intentamos ***dispersarlos****.*

1 En el maratón todos ....
2 Cuando ven los regalos los niños .... de alegría.
3 Los soldados .... hacia el campo de batalla.
4 Me gusta mucho .... en el parque.

5 Asocia cada verbo al sustantivo correspondiente para formar una expresión.

1	Aplicar	a ☐	A los perseguidores
2	Reconstruir	b ☐	Un cuaderno
3	Leer	c ☐	Una crema
4	Apuntar	d ☐	Con una rama
5	Tropezar	e ☐	Una pistola
6	Dispersar	f ☐	Una frase

Gramática

El presente del indicativo de los verbos *deber* y *querer*

Los verbos deber y querer se llaman auxiliares cuando acompañan a otro verbo en infinitivo para indicar un aspecto particular de la acción. Estos verbos pueden ser utilizados también solos.

*¡**Quieren** la crema prodigiosa!*

	Deber	**Querer**
yo	debo	quiero
tú	debes	quieres
Él/ella	debe	quiere
Nosotros	debemos	queremos
Vosotros	debéis	queréis
Ellos/as	deben	quieren

El verbo *deber* puede indicar necesidad o suposición.

*Las frutas del bosque **deben** ser la base de este producto.*

El verbo *querer* puede indicar voluntad o deseo.

***Quiero** ir enseguida a la comisaría.*

*¿No **quieres** hablar primero con tu familia?*

6 Conjuga los verbos entre paréntesis en presente del indicativo.

1 (*Querer*) .... venir conmigo al cine, Carlota?
2 Hoy no salgo porque para mañana (*deber*) .... estudiar mucho.
3 Hoy Paco y Lucía (*querer*) .... dar un paseo por el bosque.
4 Vosotros (*deber*) .... ir a la cama temprano.
5 La señora López (*deber*) .... acostarse temprano porque mañana tiene una cita a las ocho.
6 (*Querer*) .... comprar un buen regalo para nuestros amigos.
7 Marcos y Lucía (*querer*) .... casarse pronto. Se aman.
8 Mi hermana (*querer*) .... ir a Estados Unidos.

Comprensión auditiva

6 **7** **La tarta de queso de Cantabria tiene fama de estar buenísima. Sin duda es debido a la buena calidad de la leche y los quesos obtenidos de sus vacas, de fama y calidad reconocidas. Apunta en el cuaderno la receta que vas a oír paso a paso y luego responde a las siguientes preguntas.**

1 ¿Para qué necesitamos el ron?
2 Los huevos, ¿se baten con el requesón?
3 ¿Qué hacemos con la mantequilla?
4 ¿A qué temperatura debe estar el horno?
5 ¿Cuánto tiempo debe estar la preparación en el horno?
6 ¿Para qué sirve el papel de aluminio?

Producción escrita y oral

8 **¿Consideras la inteligencia una cualidad muy importante en una persona? ¿O bien hay cualidades que consideras más importantes?**

9 **Camila piensa que para los chicos su inteligencia representa un defecto más que una cualidad. ¿Y tú qué piensas? ¿La inteligencia es siempre una cualidad o bien puede ser un defecto?**

Antes de leer

1 **Estas palabras se utilizan en el capítulo 5. Asocia cada palabra a su imagen correspondiente.**

a	Abrazar	c	Un caserío	e	Una llave
b	Un rostro	d	Una arruga	f	Una linterna

1 c

2 a

3 f

4 b

5 e

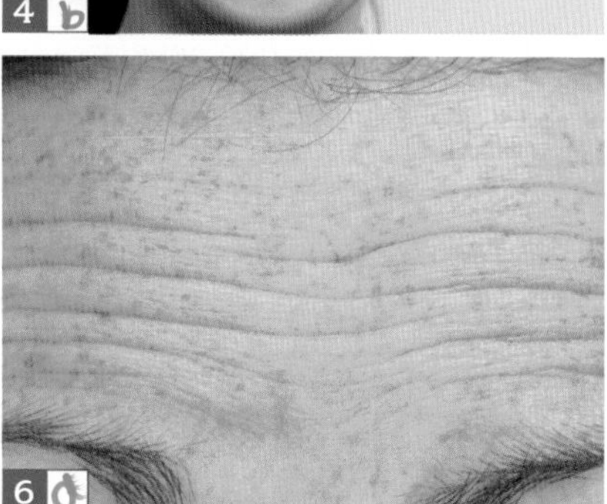

6 d

CAPÍTULO 5

Secuestrado

El automóvil se para delante de un caserío en el bosque. Desciendo del coche con los dos hombres. Entramos en el caserío.

El hombre con la pistola me hace entrar en una habitación que cierra con llave. La habitación está a oscuras. Miro a mi alrededor y no veo nada. Sin embargo, oigo una voz.

— Enrique ¿Eres tú?

— ¡Señor Otero! — exclamo.

— ¿Qué haces aquí?

Le cuento todo. Percibo que se está acercando, y finalmente me abraza. Es un abrazo cariñoso, como un padre hace con su hijo.

— Lo siento mucho. Ahora tú también estás en apuros...

Poco a poco mis ojos se acostumbran a la oscuridad de la estancia, y consigo ver las cosas, incluso ¡al señor Otero! No obstante, tiene un aspecto muy extraño.

— ¿Qué se ha hecho en la cara? — pregunto — La tiene “rara”...

— ¿En qué sentido "rara"?

— Más... más... joven.

— ¡Ah! — exclama — Así que se nota incluso así... en la oscuridad...

— ¿Es por su crema "Prodigiosa"? — le pregunto.

— ¡"Prodigiosa"! ¿Cómo sabes el nombre? — pregunta asombrado.

Camila y yo hemos encontrado el cuaderno.

— ¿Habéis conseguido leerlo?

— Sí.

— Habéis sido más inteligentes que ellos.

— Pero... ¿quiénes son "ellos"?

— Son delincuentes, querido Enrique, y yo he sido tan estúpido...

— No comprendo. ¿Puede contarme lo que ha sucedido?

— Desde hace meses hago experimentos con las frutas del bosque. En realidad no trataba de inventar una crema milagrosa para la piel de la cara, sino un producto para las manos. Manejando tantas sustancias químicas, las tenía muy malas. Por lo tanto, he estado haciendo experimentos durante meses con las frutas del bosque en mi invernadero, junto a varios productos naturales y no. Hasta que un día, hace aproximadamente tres semanas, conseguí la crema "Prodigiosa". Me la puse una vez al día en toda la cara durante una semana, y los resultados han sido increíbles: las arrugas desaparecían, día tras día. En fin, me di cuenta de que se trataba de una crema verdaderamente maravillosa. En ese momento me dije: "Este es un gran descubrimiento. Debo informar a alguien". Como sabes ya no trabajo, pero hace tiempo trabajaba en una gran empresa [1] farmacéutica. Me he puesto en contacto con

1. **empresa**: bienes y personas organizados para desarrollar una actividad.

un antiguo colega, el doctor Alcañiz: era un químico experto y también un amigo, o eso creía yo.

Le he escrito acerca de la crema, y le he enviado una cierta cantidad de muestra. Él me ha contestado: "Gracias, hablamos pronto." Pero no hemos hablado, ¡ha venido él personalmente!

— ¿Su antiguo colega se la ha quitado?

— Sí. Así es. Ayer por la mañana, él y otro hombre entraron en mi casa, querían obtener la fórmula de la crema, pero no se la di. Entonces buscaron por todas partes. No encontraron nada. Seguidamente me han traído aquí. Quieren obligarme a darles la fórmula. He sido un tonto al fiarme de Alcañiz...

— Pero... ¿era su amigo?

— Sí, una especie de amigo. Pero siempre tuvo problemas financieros. Ahora ha visto la posibilidad de hacer dinero fácil...

En ese instante la puerta se abre, entran dos hombres con linternas. La luz nos molesta, y solamente después de algunos segundos consigo ver bien las caras. Son los hombres que me han secuestrado.

— Otero, ahora nos llevamos al chico — dice uno.

— ¡No, Alcañiz! — dice Otero.

— No has querido decirnos nada, ahora vamos a escuchar lo que tiene que decirnos él. Le hago interrogar por Vladimiro, que tiene una técnica especial.

¿Qué quiere decir una técnica especial? ¡¡Socorro!! ¿Qué me quieren hacer? Afortunadamente el señor Otero interviene.

— ¡No, dejad aquí al chico! Él no tiene nada que ver con todo esto.

— ¡Entonces habla! ¡Dinos donde se encuentra la fórmula!

Otero duda unos segundos.

— ¡Otero! — lo amenaza Alcañiz —. ¡Nos llevamos al chico!

— No, no, está bien, os lo digo. La fórmula está en mi casa.

Comprensión escrita y oral

1 Vuelve a leer el capítulo e indica si las siguientes afirmaciones son verdaderas (V) o falsas (F).

		V	F
1	Después de que el señor Otero ha terminado su relato dos hombres entran en la habitación oscura.	☐	☐
2	Los dos hombres amenazan con hacer daño al joven si el señor Otero no les dice dónde se encuentra la fórmula.	☐	☐
3	El señor Otero no quiere decir nada.	☐	☐
4	Enrique dice enseguida dónde se encuentra la fórmula.	☐	☐

2 Vuelve a leer el capítulo y ordena los acontecimientos en orden cronológico.

a ☐ Alcañiz no le contestó pero tue a su casa y lo secuestró.

b ☐ Cuando experimentó el producto sobre su cara tuvo éxito.

c ☐ Primero experimentó el producto en las manos pero no fue satisfactorio.

d ☐ Desde hace meses el señor Otero hacía experimentos con las frutas del bosque.

e ☐ Entonces pensó en enviar cierta cantidad del producto a un ex-colega, Alcañiz.

3 Asocia el inicio de cada frase con su final correspondiente.

1	Enrique observa que	a	☐	muy oscura.
2	El señor Otero	b	☐	el señor Otero tiene una cara extraña.
3	La habitación es	c	☐	hace entrar a Enrique en la estancia.
4	El hombre con la pistola	d	☐	dura poco.
5	El viaje en coche	e	☐	es prisionero de su ex-colega.

Gramática

El imperfecto de los verbos regulares

El imperfecto del indicativo tiene dos formas en español.
Se construye añadiendo al radical las terminaciones del cuadro mostrado.

	I conjugación	**II y III conjugación.**
yo	-aba	-ía
tú	-abas	-ías
él/ella	-aba	-ía
nosotros	-ábamos	-íamos
vosotros	-abais	-íais
ellos/as	-aban	-ían

El pretérito imperfecto es irregular solo en los verbos *Ser*, *Ir* y *Ver*.

Ser	era	eras	era	éramos	erais	eran
Ir	iba	ibas	iba	íbamos	ibais	iban
Ver	veía	veías	veía	veíamos	veíais	veían

Es el tiempo de la narración, y expresa continuidad en el pasado.
Hace tiempo ***trabajaba*** *en una gran empresa farmacéutica.*
El doctor Alcañiz ***era*** *un químico experto y un amigo, o eso* ***creía*** *yo.*

4 Conjuga los verbos que están entre paréntesis en imperfecto.

1 Cuando (*vivir*-yo) .... en Sevilla, (*comer*-yo) .... todos los días gazpacho.
2 Mientras María (*mirar*) .... la televisión, su hermano (*escuchar*) .... la música.
3 Cuando (*ser*) .... joven, mi madre (*salir*) .... a menudo, y le (*gustar*) .... ir a bailar con sus amigos y divertirse.
4 El profesor nos ha contado que los antiguos Griegos (*construir*) .... teatros y (*asistir*) .... a los espectáculos.
5 Cuando (*ser*-yo) .... pequeño (*pasar*-yo) .... siempre las vacaciones en la playa con mis amigos.
6 Antes (*regalar*-vosotros) .... libros en Navidad.

Léxico

5 **Completa el crucigrama con las palabras que se te dan.**

cuaderno delincuente colega crema minuto estúpido oscuro automóvil manos rostro

1 Se puede escribir en él.
2 En el cuento su nombre es *Prodigiosa*.
3 Una persona con la cual se trabaja.
4 Suma sesenta segundos.
5 El antónimo de *inteligente*.
6 El antónimo de *claro*.
7 Se llama también *coche*.
8 Se encuentran al final de los brazos.
9 Persona que comete un delito.
10 Sinónimo de *cara*.

Producción escrita y oral

6 **En cada una de estas frases hay una palabra en negrita que no es correcta. Sustitúyela por alguna del las palabras siguientes.**

a	crema	d	experimentos	g	instante
b	secuestrado	e	empresa	h	apuros
c	técnica	f	fórmula	i	estancia

1 Ahora tú también estás en **un puro**.
2 Mis ojos se acostumbran a la claridad de la **instancia**.
3 Quieren obligarme a darles la **receta**.
4 En ese **estante** la puerta se abre.
5 Son los hombres que me han **sobornado**.
6 Querían obtener la fórmula del **perfume**.
7 Hace tiempo trabajaba en una gran **hacienda**.
8 He estado haciendo **testamentos** durante meses.
9 ¿Qué quiere decir una **típica** especial?

DELE **7** **Escribe una carta a un(a) amigo(a). Aconséjale una crema que has utilizado y que consideras eficaz y di porqué. Si no utilizas cremas, habla de otro producto (champú, gel de ducha). Entre 80-100 palabras, 8-10 lineas.**

La bahía de Santander.

El turismo costero *de Cantabria*

El litoral cántabro posee numerosas y bellas playas generalmente muy largas y no muy anchas, de suave pendiente, que están protegidas de los vientos oceánicos. En las desembocaduras de los ríos existen a menudo lenguas arenosas que vienen a sumarse a las playas. La costa presenta el encanto especial de combinar los infinitos verdes de las montañas con el azul profundo del mar Cantábrico. En el litoral de la región destaca la bahía de Santander.

La bahía de Santander

Santander se encuentra en la orilla norte de una extensa bahía cerrada por la península rocosa de la Magdalena y el arenal de Somo. Por su privilegiado emplazamiento, sus playas, la calidad de sus instalaciones turísticas, Santander es uno de los centros de veraneo más animados y elegantes de la costa cantábrica.

La animación ciudadana se concentra en torno a la Plaza Porticada, escenario durante el mes de agosto del Festival Internacional de teatro, música y danza.

Al abrigo de la bahía, el puerto, que hace siglos se limitaba a exportar la lana y el trigo castellanos, ha alcanzado un gran desarrollo y su actividad se ha diversificado mucho, atrayendo por otro lado numerosas industrias: siderúrgicas, químicas y navales.

El arenal de Somo.

El palacio de la Magdalena.

El Sardinero

A finales del siglo XIX, la familia real, y con ella la élite de la sociedad española, aprovechando el auge de las estaciones balnearias entre las clases acomodadas europeas, que introducían un nuevo concepto de ocio asociado a la salud, puso de moda los baños de mar en Santander.

En 1908, el municipio construyó y regaló al rey Alfonso XIII el Palacio de la Magdalena, en la península del mismo nombre. Obra de los arquitectos Javier González Riancho y Gonzalo Bringas Vega, fue amueblado en 1913, pasando de inmediato a ser residencia de verano del rey Alfonso XIII y su familia, quienes lo ocuparon regularmente hasta la proclamación de la II República.

Desde 1932, en este edificio se aloja la Universidad Internacional Menéndez Pelayo, que organiza durante el verano cursos de cultura hispánica, a los que asisten estudiantes de todas las nacionalidades. Algunos de estos cursos tienen lugar en el Palacio de la Magdalena. Las tres playas del Sardinero, separadas por dos promontorios pero unidas durante la bajamar, junto con las del Promontorio y la Magdalena, justifican sobradamente el prestigio turístico de Santander.

Comprensión lectora

1 Marca con una ✗ la respuesta correcta.

		V	F
1	Las playas de Cantabria son muy anchas.	☐	☐
2	Santander es un lugar de veraneo elegante.	☐	☐
3	La bahía de Santander es famosa.	☐	☐
4	Hace siglos el puerto se limitaba a exportar lana.	☐	☐
5	En verano, en Santander tiene lugar un festival de música.	☐	☐
6	El Municipio vendió al rey el palacio de la Magdalena.	☐	☐
7	Alfonso XIII no pasaba allí sus vacaciones.	☐	☐
8	En este palacio se imparten cursos de cultura hispánica.	☐	☐

CAPÍTULO 6

¿Dónde está Camila?

Alcañiz mira a su compañero. Éste habla por primera vez.  Tiene un fuerte acento extranjero. Tal vez alemán.

— No es verdad — dice —. Hemos mirado por todas partes. En cada cajón, en cada rincón, incluso debajo del suelo.

— Pero le digo que está en mi casa. Está escrita en un cuaderno — declara Otero.

— Y ¿dónde está ese cuaderno? — pregunta Alcañiz.

— En la cocina, sobre la mesa.

— ¿Sobre la mesa? ¿Ante la mirada de todos? — dice el extranjero.

— ¡Ahora no podemos perder el tiempo! Hay que regresar a casa de Otero y coger el cuaderno — dice Alcañiz.

En ese momento comprendo que debo decir algo. Si van a casa del señor Otero y no encuentran el cuaderno, efectivamente se van a enfadar. Me armo de valor y digo:

— En realidad… — digo — el cuaderno ya no está en casa del señor Otero.

¿Dónde está Camila?

Tres pares de ojos me miran fijamente.

— ¿Y dónde está? — pregunta el extranjero.

— En mi casa. Esta mañana, mi amiga Camila y yo hemos ido a casa de Otero y hemos encontrado el cuaderno.

— Sabemos que estábais en casa de Otero — dice el extranjero —. Yo también estaba allí... he regresado porque esperaba encontrar algo, luego os he visto y me he escondido. Os he oído hablar de fórmulas químicas y... ¡Pero... si es verdad! ¡La chica llevaba un cuaderno en la mano!

— Así que el cuaderno está en tu casa... — dice Alcañiz, mirándome con sospecha[1].

— Sí, en mi casa.

— ¡Demonios! — exclama el extranjero — ¡Esto sí que es una complicación!

— Pues no — dice el otro —. Ahora llamo a Clara y vendrá enseguida.

— ¿Clara? ¿Por qué Clara? — pregunta el extranjero.

— Tengo un plan. Mientras tanto tú llévate fuera al chico.

Me hacen salir de la habitación oscura. No tengo ni tan siquiera el tiempo de saludar al señor Otero. Me llevan a un cuarto muy grande, una especie de cocina donde hay solamente una mesa, cuatro sillas y un hornillo[2] en un rincón.

¿Qué sucede ahora? ¿Quién es esa Clara? ¿Cuál es el plan de Alcañiz? No tengo que esperar mucho para tener una respuesta a mis preguntas. Apenas han transcurrido diez minutos, cuando una mujer entra en el caserío. Es una mujer pequeña y delgada de unos cuarenta años. Va vestida de manera elegante. Se acerca

1. **sospecha**: desconfianza, duda.
2. **hornillo**: utensilio pequeño, portátil, para cocinar o calentar alimentos.

a Alcañiz y le da un beso. Él la abraza. Comprendo, del modo en que se miran, que son amigos, o quizá algo más. Seguidamente ella le interpela:

— ¿ Entonces? ¿Por qué me has llamado? — pregunta.

— Debes hacer una cosa por nosotros. No se trata de una cosa peligrosa. Pero necesitamos a una mujer.

— Una mujer como tú, que no despierta sospechas — añade el extranjero.

— ¿Qué tengo que hacer? Pregunta de nuevo.

— Debes ir con este chico a su casa. Está cerca de la casa de Otero, en Potes. Debes entrar con él en su casa, y decir que eres una amiga del señor Otero. Él debe coger el cuaderno y salir contigo. Tienes que estar siempre con él. Y tú... ¡estate bien atento! Una palabra fuera de lugar y tu amigo Otero...

Hace un gesto con la mano apoyada en la garganta, como para decir "estarás muerto". ¡Qué miedo!

— ¿Me has oído muchacho? ¿Lo has entendido? — pregunta Alcañiz.

— Sí, Sí, lo he entendido — me apresuro a responder.

Debo tener una terrible cara de miedo, porque Alcañiz me dice:

— No debes preocuparte. Coge el cuaderno y ven. Si nos lo traes, te dejamos marchar.

— ¿Y el señor Otero? — me atrevo a preguntar.

— El señor Otero viene con nosotros. Tiene que ayudarnos con su producto... milagroso, y después le soltaremos. Nosotros no somos asesinos[3] ¿qué crees?, solo hombres de negocios.

El extranjero se ríe.

3. **asesino**: homicida; quien ha matado a alguien.

La mujer y yo subimos al coche. Ella no dice ni una palabra en todo el viaje. Está seria y concentrada. Parece una mujer normal, no una malhechora, pero tampoco Alcañiz, ni el extranjero parecen malhechores. Y en efecto, no lo son. O bien, ahora lo son, pero no lo eran. Han llegado a serlo por codicia[4].

La mujer aparca el coche exactamente delante de mi casa.

— ¿Lo has entendido bien, verdad? — me dice — Ni una palabra. Si sucede algo, llamo a mi amigo y Otero es hombre muerto.

— Sí, sí, lo he entendido.

Apenas entro, mi madre viene hacia mí.

— Pero, ¿dónde has estado? — comienza, pero se calla porque ha visto a la mujer.

— Buenos días — dice la mujer.

— Buenos días — dice mi madre.

— Pido perdón por la molestia. Soy Cristina Martí y trabajo con el señor Otero. He acompañado a Enrique a recoger un cuaderno del señor Otero. Lo... realmente lo necesitamos.

— Comprendo — responde mi madre.

— ¿Vamos a por el cuaderno? — me dice la mujer con una voz disimuladamente dulce.

— De acuerdo — contesto —. Vamos a mi habitación. El cuaderno está sobre el escritorio.

Lo cojo. Miro alrededor. "Pero, ¿dónde está Camila?" me pregunto. No debe estar lejos, tiene que estar por aquí. De veras que lo espero.

4. **codicia**: deseo excesivo de algo, en particular de dinero.

Comprensión escrita y oral

1 Vuelve a leer el capítulo e indica si las afirmaciones siguientes son verdaderas (V) o falsas (F).

		V	F
1	La mujer pregunta a la madre de Enrique si puede entrar en casa.	☐	☐
2	La madre de Enrique se pone nerviosa cuando oye el nombre de Otero.	☐	☐
3	Enrique y la mujer se dirigen a la cocina.	☐	☐
4	Enrique coge el cuaderno.	☐	☐
5	Al salir, Enrique ve a Camila.	☐	☐

2 Vuelve a leer el capítulo y elige la respuesta correcta.

1 El hombre que está con Alcañiz
- a ☐ es muy alto.
- b ☐ tiene un fuerte acento extranjero.
- c ☐ lleva uniforme.

2 Clara es
- a ☑ una amiga de Alcañiz.
- b ☐ una ex—colega del señor Otero.
- c ☐ una conocida de Enrique.

3 El cuaderno de recetas
- a ☐ ya no está en casa del señor Otero.
- b ☐ está en casa de Enrique.
- c ☐ está en el coche de Alcañiz.

4 Clara debe
- a ☐ ir con Enrique a su casa.
- b ☐ ir con Enrique a casa del señor Otero.
- c ☐ telefonear a Camila.

5 Clara no levanta sospechas porque es una mujer
- a ☐ elegante.
- b ☐ bella.
- c ☐ joven.

2 **Vuelve a leer el capítulo y escribe quien dice o hace la acción.**

1 Habla por primera vez con un fuerte acento extranjero.

....

2 ¿Dónde está ese cuaderno?

....

3 Comprendo que debo decir algo.

....

4 Se acerca a Alcañiz y le da un beso.

....

5 Está seria y concentrada.

....

6 ¿Dónde has estado?

....

7 ¿Vamos a por el cuaderno?

....

8 ¿Dónde está Camila?

....

3 **Vuelve a leer el capítulo y completa el resumen.**

Subimos al (1) .... Ella no dice ni una (2) .... en todo el viaje.
Está seria y (3) .... Parece una (4) .... normal, no una malhechora, pero tampoco Alcañiz ni el (5) .... parecen malhechores. Y en efecto, no lo son. O mejor, ahora lo son, pero no lo eran. Han llegado a serlo por (6) ....

Léxico

4 Elige la respuesta correcta.

1 Me armo de
- a ☐ valor.
- b ☐ audacia.
- c ☐ coraje.

2 Tres pares de ojos me miran
- a ☐ firmemente.
- b ☐ fijamente.
- c ☐ atentamente.

3 Clara tiene unos
- a ☐ treinta años.
- b ☐ veinte años.
- c ☐ cuarenta años.

4 Necesitamos una mujer que no despierte
- a ☐ dudas.
- b ☐ desconfianza.
- c ☐ sospechas.

5 La mujer habla
- a ☐ con una mirada simuladamente dulce.
- b ☐ con gestos simuladamente dulces.
- c ☐ con una voz disimuladamente dulce.

Gramática

El Imperativo

Solo tiene formas especiales para la segunda persona del singular (tú) y la segunda del plural (vosotros). Se utiliza para expresar una orden:

*¡**Estate** bien atento!*

Tú: es igual que la tercera persona del singular en presente del indicativo. Pero hay ocho excepciones:

Poner	pon	**Ser**	sé
Decir	di	**Ir**	ve
Hacer	haz	**Tener**	ten
Salir	sal	**Venir**	ven

Vosotros: para obtener el imperativo sustituimos la *r* del infinitivo por una *d*. No hay excepciones:

salir *sali**d***

***Poned** los libros en la mesa.*

***Decid** la verdad.*

5 Transforma las frases en 2ª persona del singular o plural del imperativo.

*Ej. Ir a casa (vosotros). ¡**Id** a casa!*

1 Salir a las ocho (tú). ....

2 Hacer los deberes (tú). ....

3 Estudiar más (vosotros). ....

4 Decir la verdad (tú). ....

5 Ser disciplinado (vosotros). ....

6 Tener paciencia (tú). ....

7 Venir conmigo (vosotros). ....

8 Tomar una decisión (tú). ....

9 Entrar en casa (vosotros). ....

10 Mirar quién ha llegado (tú). ....

6 **Escribe una frase en imperativo con las indicaciones dadas.**

Ej. El profesor ordena a los alumnos abrir el libro. ***¡Abrid el libro!***

1 Leer en voz alta. ....

2 Guardar silencio. ....

3 Escribir el dictado. ....

4 Salir de clase. ....

5 Cerrar las ventanas. ....

6 Levantar la mano. ....

7 Repetir a todos. ....

8 Saludar al profesor. ....

9 Estar atentos. ....

10 Sacar el cuaderno. ....

Producción escrita y oral

7 **En este capítulo se habla de delincuentes. Muchos libros y películas tratan de delincuentes, y pueden ser de suspense o policíacas. Ese tipo de películas ¿Te gustan? ¿Recuerdas alguna en particular? Cuenta brevemente alguna. Ayúdate con las siguientes indicaciones.**

título director cinematográfico actores
personajes principales ambientación

8 **Ahora cuenta el argumento por escrito.**

....
....
....
....
....
....

CAPÍTULO 7

Una pasión por la química

Estamos en la puerta de mi casa. Mi madre nos saluda y me pregunta cuándo regresaré. La mujer responde en mi lugar.

— Dentro de un par de horas, señora.

Pasamos por el jardín para ir al coche. En ese momento veo a Camila, o al menos, me parece ver a Camila escondida detrás de un árbol del jardín.

Después regresamos al caserío.

— ¿Me dejan marchar ahora? — pregunto.

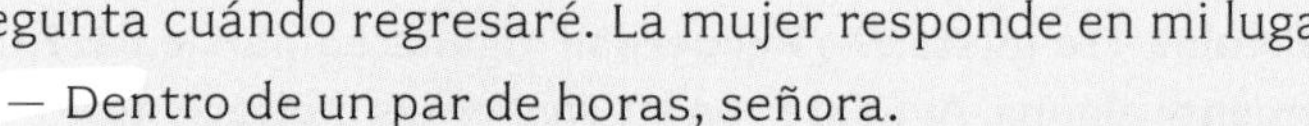

— Todavía no. Pero no debes tener miedo. No estás en peligro.

La mujer habla en tono frío e indiferente, y me da aún más miedo. Sin embargo, pienso en Camila. Ella me ha visto y estoy seguro que ha comprendido, y que va a hacer algo.

Entramos en el caserío. Alcañiz y el extranjero vienen hacia nosotros. La mujer le da el cuaderno a Alcañiz. Él lo abre y lee.

Unos segundos después grita:

— ¿¿Pero qué es esto??

Parece muy enfadado.

— Hay un código escrito — le explico —. Es una escritura como la de Leonardo da Vinci, de derecha a izquierda.

— O sea, ¿las letras están escritas al revés?

— Así es.

Comienza de nuevo a leer el cuaderno pero lo deja enseguida. No tiene paciencia.

— Hace falta una semana para leer pocas páginas.

— Y no disponemos de una semana — añade el extranjero —. En tal caso, ¡vamos a por el doctor! Él ha escrito esto, y puede leerlo sin problemas y velozmente. ¡Ven tú también, chico!

Vamos todos a la estancia donde tienen encerrado al doctor Otero.

— Tenemos el cuaderno. Ahora debes decirnos lo que hay escrito.

— De acuerdo — dice el señor Otero.

— Vamos a la cocina. Allí podemos sentarnos — dice el extranjero.

En la cocina los dos hombres y el señor Otero se sientan, la mujer y yo permanecemos de pie.

El señor Otero lee el cuaderno y escribe palabra por palabra. Apenas ha escrito dos líneas cuando oímos ruidos.

— ¿Qué demonios sucede? — grita Alcañiz.

Y sale fuera de la cocina con la pistola en la mano. El extranjero también tiene una pistola en la mano. Apunta contra nosotros.

— Tened la boca cerrada — nos dice —, si no...

Pero no termina la frase. Unos hombres han entrado en el cuarto y ellos también tienen armas en la mano, pero llevan uniforme[1]. Son... ¡¡policías!!

1. **uniforme**: traje distintivo que usan los militares o personas pertenecientes a un mismo cuerpo.

El extranjero deja caer la pistola y levanta las manos. Les ponen las esposas [2] a él y a la mujer. Uno de los policías se aproxima a nosotros.

— ¿Todo bien? — pregunta.

— Sí, todo bien — contestamos —. ¿Cómo nos habéis encontrado?

Pero el policía no contesta, en su lugar contesta otra persona que acaba de entrar en la habitación: es Camila.

— He sido yo — dice —. Cuando he visto a Enrique con aquella mujer, lo he comprendido todo. He cogido corriendo la bicicleta y he seguido el coche hasta aquí. He visto a Enrique y a la mujer entrar en el caserío. He comprendido que dentro se encontraban los secuestradores. Entonces he llamado a la policía. En cinco minutos han llegado.

— ¡Te he dicho que Camila es inteligente! — insisto.

— Es una suerte — dice el señor Otero.

El señor Otero tiene el aspecto verdaderamente más joven. Tiene sesenta años, pero ahora parece tener quince menos.

Pregunta a uno de los policías si puede regresar a casa.

— No puede regresar a casa enseguida, lo siento — dice el policía —. Debe venir con nosotros a la comisaría para hacer una declaración.

Nos dirigimos todos a la comisaría y estamos allí un buen rato. Finalmente nos dejan ir. Vamos a casa, donde nos espera mi madre y nos hace un montón de preguntas. Esta vez le decimos la verdad.

— Habéis sido valientes — dice —, pero estas cosas no se hacen. La próxima vez debéis ir a la policía, y no actuar a vuestro aire. Habéis corrido un gran peligro y...

Continúa hablando, pero Camila y yo ya no la escuchamos.

2. **esposas:** manillas de hierro con que se sujeta a los presos por las muñecas.

La fórmula secreta

Al terminar la cena salimos. Vamos a casa del señor Otero. Tocamos el timbre, pero no contesta. Tocamos de nuevo, pero nada... ¿Qué sucede? Camila me mira. En sus ojos hay una pregunta que también es la mía: "¿Lo han vuelto a secuestrar?" Pero no, afortunadamente... ¡la puerta se abre!

— Chicos, perdonadme. Estaba en el laboratorio y no he oído nada.

El señor Otero sonríe. Todavía está pálido, y parece menos joven que esta mañana. Advierte que lo estoy observando.

— Sé lo que estás pensando. Que parezco menos joven.

— Quizá porque está muy cansado — digo.

— No, no es por eso por lo que me aumentan las arrugas, es porque el efecto de la crema está desapareciendo.

— ¿Quiere decir que la crema "prodigiosa" tiene un efecto sólo momentáneo, es decir que no perdura? — pregunta Camila.

— Así es, exactamente. O al menos lo parece. Quizá no es tan milagrosa... al menos por ahora. Debo continuar investigando.

— ¡Estoy segura de que va a conseguir crear una crema súper "prodigiosa"!

— Gracias por la confianza, Camila — responde el señor Otero.

— Pero, una vez conseguida, ¡no debe consultar a nadie!

— ¡Ah! ¡De esto podéis estar seguros!

— ¿Vamos al laboratorio? — propongo.

— ¡Pero a Camila no le interesa! — dice Otero.

— ¡No es verdad! Soy una apasionada de la química.

— ¿En serio? — pregunto asombrado.

— Sí, por supuesto. De pequeña "El pequeño químico" era mi juego preferido.

Nos mira y empieza a reírse. ¡Ah! Camila, ¡eres genial!

Comprensión escrita y oral

1 **Vuelve a leer el capítulo e indica si las siguientes afirmaciones son verdaderas (V) o falsas (F).**

		V	F
1	La mujer le dice a la madre que su hijo volverá a casa pronto.	☐	☐
2	Enrique ahora se siente seguro.	☐	☐
3	Camila está escondida en el jardín.	☐	☐
4	Enrique ha visto a Camila, pero la mujer no.	☐	☐
5	En el caserío les esperan Alcañiz y el extranjero.	☐	☐
6	Alcañiz lee el cuaderno y comprende enseguida lo que hay escrito.	☐	☐

2 **Vuelve a leer el capítulo y coloca los acontecimientos en el orden cronológico.**

a ☐ Detienen a todos.
b ☐ De repente se oyen ruidos.
c ☐ Están todos en la cocina y Otero copia palabra por palabra del cuaderno.
d ☐ Los hombres hacen salir a Otero de la habitación oscura.
e ☐ Los policías entran en la estancia.

3 **Vuelve a leer el capítulo y completa el resumen.**

Cuando he visto a **(1)** .... con aquella mujer, lo he comprendido **(2)** .... He cogido corriendo la **(3)** .... y he seguido el **(4)** .... hasta aquí. He visto a Enrique y a la mujer entrar en el **(5)** .... He comprendido que dentro se encontraban los **(6)** .... Entonces he telefoneado a la **(7)** ....

4 Vuelve a leer el capítulo y contesta a las preguntas.

1 ¿Por qué el rostro de Otero ha vuelto a ser como antes?
2 ¿Qué quiere hacer el señor Otero?
3 ¿Por qué no se va a poner en contacto con amigos o colegas?
4 ¿De qué es una apasionada Camila?

Léxico

5 Asocia cada adjetivo a su contrario.

1	egoísta	a ☐	viejo
2	cansado	b ☐	brillante
3	impaciente	c ☐	descansado
4	fácil	d ☐	generoso
5	joven	e ☐	tranquilo
6	pálido	f ☐	paciente
7	enojado	g ☐	difícil
8	apasionado	h ☐	indiferente

6 Elige el significado correcto de cada palabra.

1 Pasión
a ☐ gran amor. b ☐ gran sosiego.

2 Escondido
a ☐ que no se ve. b ☐ que se ve muy bien.

3 Indiferente
a ☐ que no se preocupa por nada ni por nadie. b ☐ distinto.

4 Pálido
a ☐ sin color. b ☐ coloreado.

5 Aumentar
a ☐ acrecentar. b ☐ disminuir.

6 Momentáneo
a ☐ de breve duración. b ☐ sin final.

Gramática

El pretérito perfecto

Se forma con el auxiliar *haber* en presente del indicativo + el participio pasado del verbo que se conjuga. El participio pasado de los verbos regulares se forma añadiendo al radical el sufijo **-ado**, para los verbos de primera conjugación, y el sufijo **-ido** para los de segunda y tercera conjugación. El verbo *haber* se conjuga de la siguiente manera:

yo	**he**	nosotros	**hemos**
tú	**has**	vosotros	**habéis**
él/ella	**ha**	ellos/as	**han**

Con el auxiliar haber el participio del verbo nunca concuerda con el complemento directo, cualquiera que sea la posición del complemento en la frase.

*Ej. ¿Has **firmado** las cartas? No, todavía no las he **firmado.***

Los participios pasados irregulares son:

Abrir	abierto	**Escribir**	escrito
Ver	visto	**Hacer**	hecho
Poner	puesto	**Volver**	vuelto
Cubrir	cubierto	**Decir**	dicho
Romper	roto	**Morir**	muerto

*Ej. Apenas ha **escrito** dos líneas cuando oímos ruidos.*

Se utiliza para describir un hecho ya terminado, muy reciente, y con indicaciones temporales precisas.

7 Transformar los verbos en pretérito perfecto

1 Esta mañana María (*desayunar*) .... café con leche.
2 (*ver* - nosotros) .... a tu madre en una tienda del centro.
3 (*llamar*) .... Pedro diciendo que no va a salir esta noche.
4 Al entrar en casa (*abrir* - yo) .... las ventanas del salón.
5 (*escribir* - yo) .... una carta a un amigo de Estados Unidos.
6 Hoy (*coger* - vosotros) .... el autobús de milagro.
7 Esta tarde los alumnos (*estudiar*) .... muchísimo.

8 Este verano (*ir* - nosotros) .... de vacaciones a Italia.
9 (*imprimir* - yo) .... un documento muy importante.
10 Esta mañana me (*regalar* - ellos) .... un libro muy interesante.

8 Conjuga los verbos entre paréntesis en pretérito perfecto.

Queridos mamá y papá:

Os escribo después de tantos días porque (**1**) (*tener*) .... muchas cosas que hacer. Estoy bien aunque durante estas últimas semanas (**2**) (*trabajar*) .... mucho. Hoy, unos amigos me (**3**) (*invitar*) .... a comer y (**4**) (*comer*) .... en un restaurante típico.
Aquí (**5**) (*conocer*) .... a un chico de mi edad. Se llama Pablo y es muy simpático.
Pablo y yo (**6**) (*hablar*) .... de música. Ya sabéis que me encanta la música y él toca en una banda. Pablo (**7**) (estudiar) .... solfeo durante muchos años.
Me (**8**) (*pedir*) .... que le acompañe a los ensayos y le (**9**) (*decir*) .... que sí.
Y vosotros, ¿Qué (**10**) (*hacer*) .... durante estos días?

Escribid pronto.

Carmen

Producción escrita y oral

9 ¿Te ha gustado el final de esta historia? Si no es así, escribe otro.

10 La historia se desarrolla en el campo. ¿Vas al campo? ¿Te gusta el campo? O quizá prefieres el mar o la montaña. Explica por qué.

1 **Ordena las ilustraciones según el orden cronológico, después escribe una frase corta comentando cada una de ellas.**

....

....

....

2 **¿Quién se esconde detrás de estas afirmaciones? Escribe el nombre de los personajes.**

1 Es una amiga del señor Alcañiz. Delgada y elegante, se comporta de manera fría y distante con Enrique.

....

2 Amigo y cómplice de Alcañiz, le ayuda a secuestrar a Otero.

....

3 Es un ex—colega de Otero. Otero se fía de él, o mejor, se fiaba.

....

4 Es un científico y le gusta vivir solo.

....

5 Se interesa por todo, lo sabe todo, sabe hacer todo perfectamente o casi todo.

....

6 Se preocupa por su hijo y siempre hace preguntas.

....

7 Estudia en Santander, le gusta la química, no le gusta Camila (al menos al principio).

....

3 **Coloca a los personajes en el cuadro.**

Enrique   la madre de Enrique   Camila   el señor Otero
Alcañiz   Vladimiro   Clara

Personajes positivos	Personajes negativos

4 Elige la respuesta correcta.

1 Enrique conoce al señor Otero desde
- a ☐ hace años.
- b ☐ hace meses.
- c ☐ hace semanas.

2 Enrique regresa a su casa para las vacaciones
- a ☐ estivales.
- b ☐ de Navidad.
- c ☐ de Noviembre.

3 A Enrique no le gusta Camila porque
- a ☐ es tonta.
- b ☐ habla demasiado.
- c ☐ es demasiado "perfecta".

4 Enrique tiene una cita con el señor Otero
- a ☐ en su casa.
- b ☐ en casa del señor Otero.
- c ☐ en la comisaría.

5 Dos hombres secuestran a Enrique mientras se dirige
- a ☐ a casa del señor Otero.
- b ☐ a la comisaría.
- c ☐ a casa de Camila.

6 La fórmula se encuentra en un libro de
- a ☐ cuentos.
- b ☐ química.
- c ☐ recetas.

7 Al final la policía detiene a los secuestradores gracias a
- a ☐ Camila.
- b ☐ Enrique.
- c ☐ la madre de Enrique.

5 Elige la respuesta correcta.

1 Las frutas del bosque son
- a ☐ moras y arándanos.
- b ☐ manzanas y peras.
- c ☐ rosas y bayas.

2 Una crema cosmética sirve para .... la piel.
- a ☐ empeorar
- b ☐ mejorar
- c ☐ irritar

3 En un laboratorio se
- a ☐ estudia.
- b ☐ experimenta.
- c ☐ investiga.

4 Si una persona desaparece significa que
- a ☐ huye.
- b ☐ se fuga.
- c ☐ se esfuma.

5 Se puede apagar
- a ☐ un teléfono móvil.
- b ☐ una puerta.
- c ☐ un libro.

6 Vuelve a leer los dossier y contesta.

1. ¿Dónde se encuentra Cantabria?
2. ¿Cómo es su clima?
3. ¿Cuál es el macizo más alto de la cordillera cantábrica?
4. ¿Cuál es la capital de Cantabria?
5. ¿Cuáles son los productos alimenticios típicos de la región?
6. ¿Qué regalo hizo al rey Alfonso XIII el municipio?
7. ¿Qué se aloja actualmente en ese edificio?